阶梯数学

2~3岁 下

青岛出版社
QINGDAO PUBLISHING HOUSE

目录

物品找朋友

启发幼儿说出各种物品名称，再引导其找出可以配对的
物品，训练幼儿的匹配能力。

小朋友，图中哪两个物品可以配对呢？请你用线连一连，并说一说为什
么。然后再找一找，你周围还有哪些物品可以配对呢？

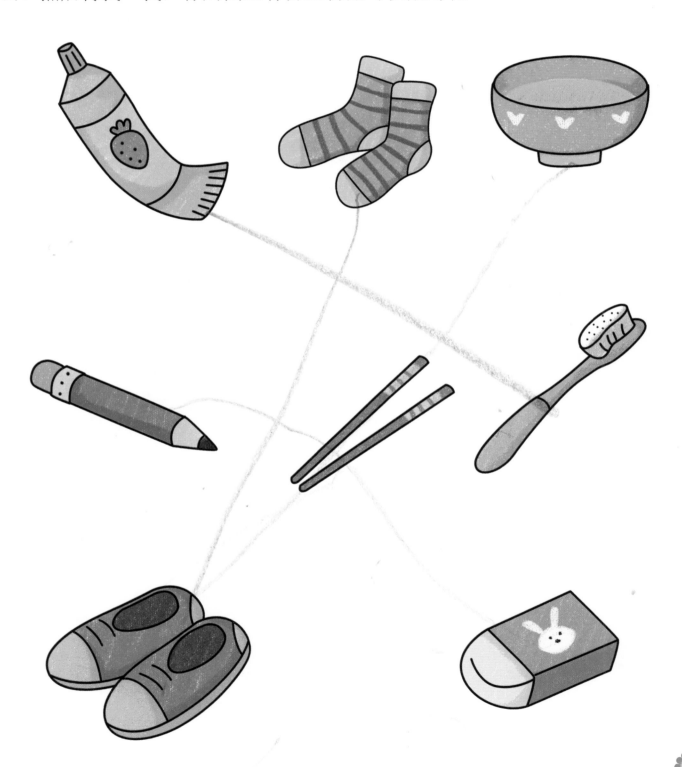

小鸡学本领

让幼儿在区分不同种类的同时，点数不同种类小动物的数量，练习点数能力。

鸡妈妈正在带小鸡们玩耍。咦，怎么有几只不是小鸡呢？你来找一找，把不是小鸡的小动物圈出来，并说说它们是什么。

新年晚会

通过在大场景里寻找数字，复习数字1、2、3的相关知识。

过节了，小朋友们都把自己打扮得漂亮极了！请你找到画面里隐藏的数字1、2、3，用笔把它们描出来。

晚餐

此活动通过让幼儿给不同的数量寻找对应的手势，复习数量1~3。

晚餐就要开始了，请你数一数盘子里的食物各有几个，把对应的数量手势和餐盘用线连起来吧。

晚餐后的游戏

引导幼儿先点数盘子里的水果数量，再比对牌子上的数字，最后检查对应的手势是否正确。

晚餐后，小朋友们在做游戏。看他们玩得多热闹！请你找出错误的手势或数字牌吧。

匹配训练

在一起的事物

匹配事物的能力需要幼儿在日常生活中善于观察，积累生活经验。

仔细观察图中的事物，请你把经常在一起出现的事物用线对应连起来吧。

分巧克力

引导幼儿排除形状的干扰，将巧克力按照颜色进行分类。

淘气的小男孩把动物巧克力撒了一地，妈妈要考考他，叫他把巧克力按照颜色分成两类。你会分吗？把同一类的巧克力用同一种颜色的笔连起来。

悠闲的星期天

除了进行方位练习外，还可以向幼儿提问：悠闲的星期天，胖太太在做什么？小男孩在做什么？小狗和小猫在做什么？锻炼其语言表达能力。

这是一个悠闲的星期天。找一找并指出，胖太太和小男孩，谁住在楼上？谁住在楼下？猫咪和小狗，谁在楼上？谁在楼下？

运动会

认识前后

和幼儿一起出行的时候，可以让幼儿说说谁在前面或后面，锻炼幼儿区分前后方位的能力。

"咚咚咚，锣鼓敲，运动会，好热闹，你游泳来我赛跑！"找一找，谁在前面？谁在后面？为在后面的小朋友贴上 sticker。

认识里外

乘坐公交车

生活中可以经常向幼儿提问有关物品位置的问题，训练幼儿准确表达方位的能力。

评价
贴纸

早晨，小朋友乘坐公交车去学校，大人们乘坐公交车去公司上班。看图说一说，扎小辫的小女孩在车里面还是外面？戴眼镜的叔叔在车里面还是外面？

零食和玩具

按用途分类

帮助幼儿理解题意，找出同类的事物，并让幼儿说说这一类是什么东西。

请你把图中这些东西分成两类，参考例子，把同一类的东西装进同一个筐子里。

大懒猫，小馋猫

两个元素循环地交替排序是排序中最基础的部分，日常生活中有意识地让幼儿从基础的排序开始训练。

大懒猫，不起床，太阳晒着屁股，它睁开眼瞧瞧，然后接着睡大觉！仔细观察，找出规律，并在空白处贴上相应的sticker吧。

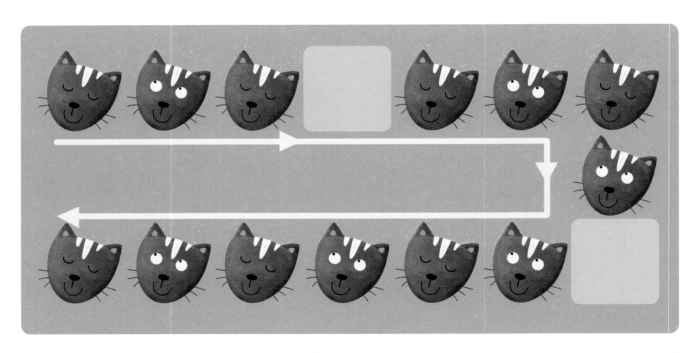

小馋猫，馋得不得了。看见青菜嗫嘴巴，看见小鱼喵喵叫。仔细观察，找出规律，并在空白处贴上相应的sticker吧。

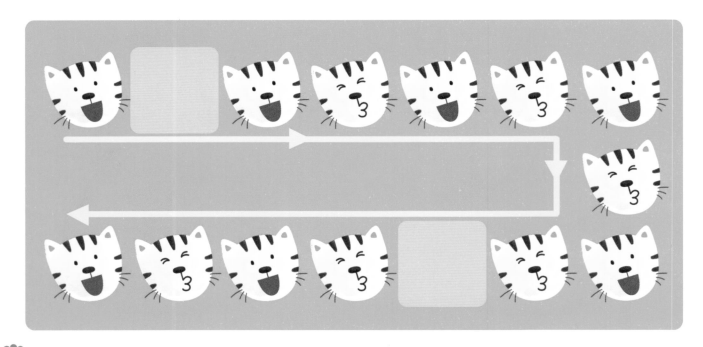

评价贴纸

小精灵

引导幼儿先按照颜色分类，再点数，完成任务。

夜晚，小女孩趴在窗前，看到草地上有好多小精灵在跳舞。每种小精灵有几个，就用相应颜色的笔涂出相等数量的圆圈。

贝壳项链

帮助幼儿发现项链排列的规律，并依据这个规律将空缺处补全。

大海边有好多美丽的贝壳。小女孩一个一个拾起来，穿成一串美丽的项链。请把缺少的部分用合适的sticker补全吧！

小女孩要多穿几条项链，送给好朋友。问号处分别应该穿什么？请你从下面的选项中选出正确的，圈起来。

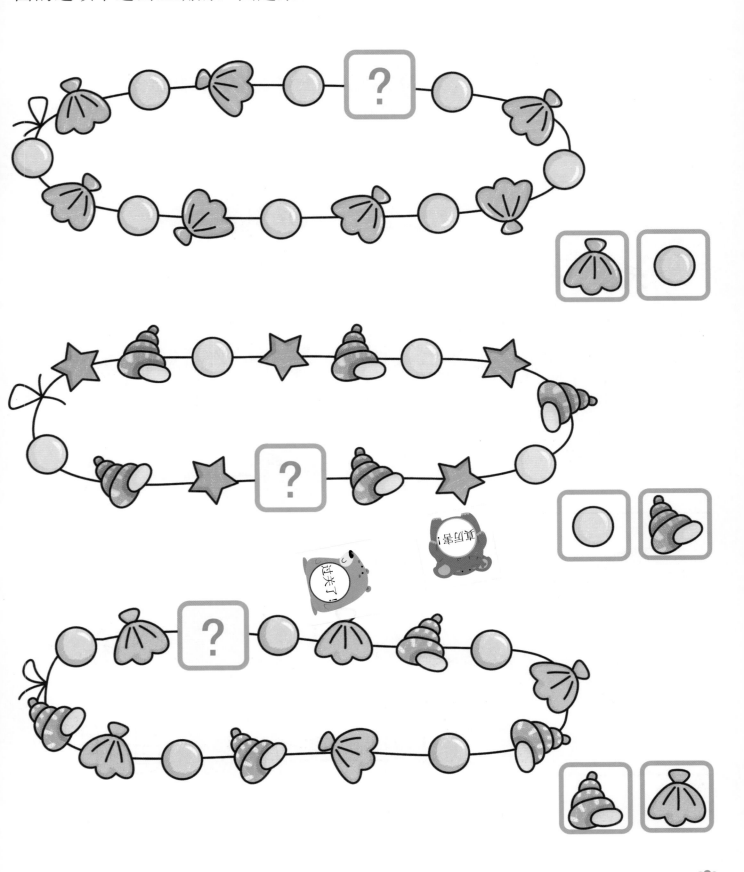

排队

告诉幼儿，三个人比较前后时，排在最前面和最后面之间的那个就是中间的。

超市里，人们正在排队，等待交款。看一看，谁排在队伍的最前面，谁排在队伍的最后面，谁排在中间？给排在中间的人对应的圆圈涂上你喜欢的颜色。

区分上下和里外

秋天的果园

引导幼儿用前面学过的上下、里外等方位词，表达小动物们所在的位置。

秋天，果子都成熟了。小动物们在摘果子呢！看图指一指，谁在梯子上面？谁在梯子下面？谁藏在树洞里？谁在树洞外面呢？

区分前后和上下

登基大典

引导幼儿在垂直方向比较上下，在水平方向比较前后。

动物们要赶去参加狮子王的登基大典。看一看，谁跑在最前面，谁跑在最后面，谁在天上，谁在地上？

蚂蚁的城堡

感知1~3的数序

感知1、2、3的数序的同时，锻炼幼儿手部小肌肉的协调能力。

小蚂蚁们在建筑它们的地下城堡。请你把同样颜色的数字按照1→2→3的顺序，勾画出城堡的轮廓。

长跑比赛

感知1~3的数序

通过小动物赛跑来形象地让幼儿理解数序：1在最前面，
1的后面是2，2的后面是3。

小动物们正在进行长跑比赛。看看谁是第一名，谁是第二名，谁是第三名。
给它们分别贴上代表名次的数字sticker。

到了领奖的时刻了。找到小动物sticker，让小动物们站到领奖台上吧！

小动物回家

按数取物

　　通过圈出小动物数量的游戏，帮助幼儿了解数字代表相应的量的概念。

按照小房子上的数字，圈出相应数量的昆虫吧。

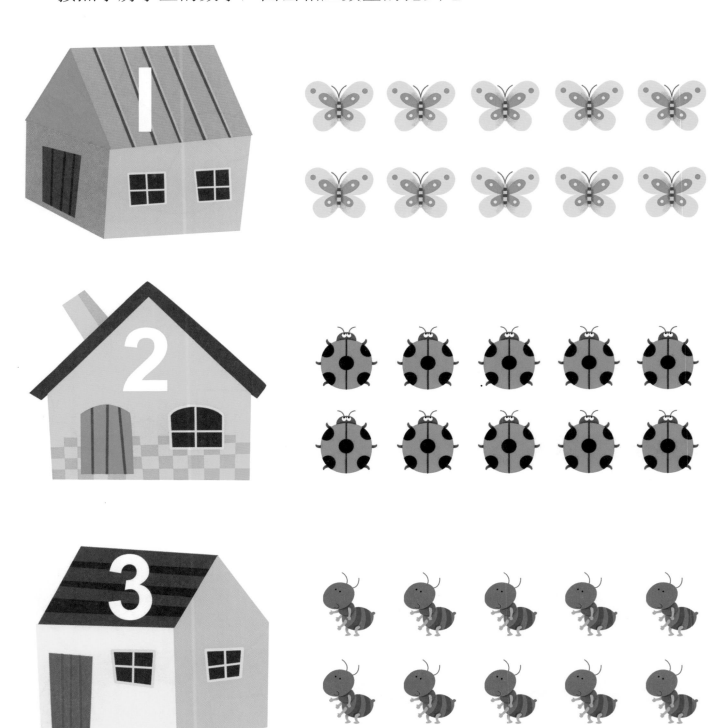

温暖的猫窝

鼓励幼儿数出猫咪的数量，并练习用手势表示这个数量。

数一数，每个猫窝里有几只小猫咪？把它们和对应的数量手势、数字用线连起来。

水果剪纸

由简单抽象的轮廓转化成有具体形状的事物，需要幼儿发挥观察力和逻辑思维能力。

阿姨用彩色的纸剪出了不同水果的形状。你能说出是什么水果吗？用线连一连吧。

小狗做客

找出相同的量

让幼儿练习点数和读数字1、2、3，并将相同量的事物连起来。

　　1只小狗、2只小狗、3只小狗分别去朋友家做客。主人该怎样款待它们呢？分别用线连一连吧。

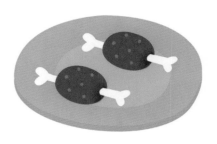

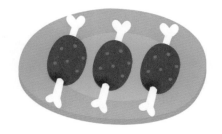

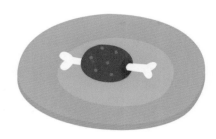

旅行的蜗牛

找出相同的量

指导幼儿先点数蜗牛的数量，再找到相同数量的树叶。

旅行途中，蜗牛累了，它们要到树叶上去休息一下。请把数量相同的蜗牛和树叶对应连起来。

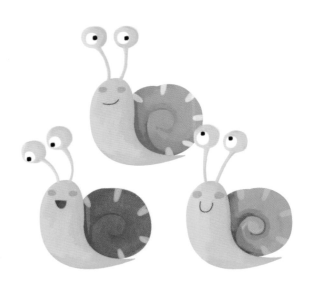

26

数物对应训练

整理玩具

小朋友玩过玩具要记得收好，不要乱丢乱放，从小养成好习惯。

评价
贴纸

数一数图中每种玩具的数量，把它们装进写着相应数字的整理箱吧。

27

数物对应训练

猴子吃香蕉

按物取数练习能够帮助幼儿把物品具体的数量与抽象的数字建立联系。

猴子三兄弟吃香蕉，它们分别吃了几根？你来连一连，并说说谁吃得最多。

风车

此活动需要幼儿先对应数量，然后将数量与数字对应。

小朋友们在游乐园玩风车呢。应该把哪一组风车分给哪一组小朋友，才能让每人有一个风车呢？请你把小朋友、风车和数字对应连起来。

1

2

3

图形王国

按形状分类

利用简单的故事，帮助幼儿强化记忆，更好地区分形状。

三角形、圆形、正方形是三个流浪的侠客。当它们老了，就结伴回到自己的王国。

首先，它们来到了三角形王国，看！城堡都是由三角形组成的，找到 ▲sticker贴在相应的地方。

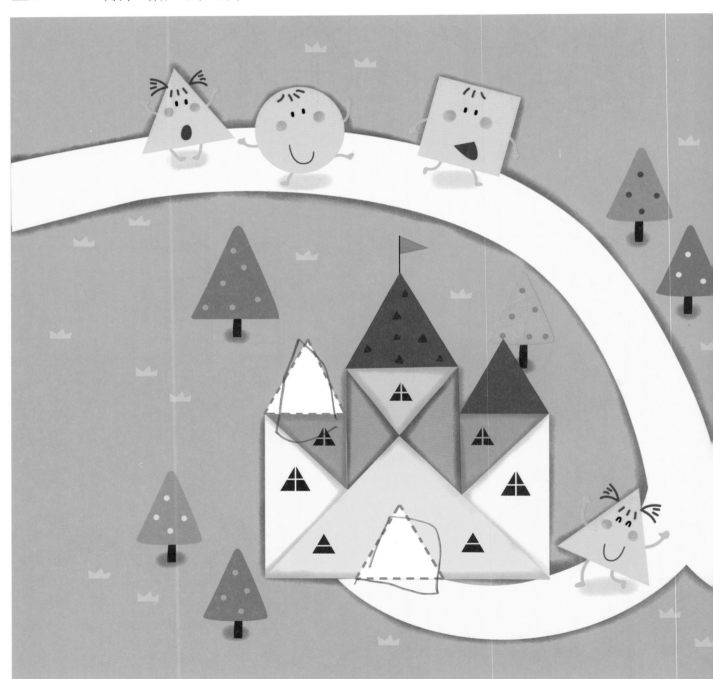

告别了三角形，圆形和正方形继续赶路。这天，它们来到了圆形王国。圆形城堡好美丽。找到●sticker贴在相应的地方。

只剩下正方形了，它独自走啊走，最后，终于到了正方形王国。正方形城堡真气派。找到■sticker贴在相应的地方。

小马运粮

训练幼儿熟练地数出事物的数量。

小马们正要搬运粮食，可是天下起了雨。怎样才能把所有的粮食一次搬走，还不淋雨呢？你来连一连线吧。

水果沙拉

数物对应训练

指导幼儿根据题意，点数出需要的水果，再圈出来。

妈妈要做好吃的水果沙拉，她列了一个水果数量单，要妞妞帮忙准备水果。请你将妞妞需要准备的水果圈出来吧。

去旅游

数物对应训练

引导幼儿数数每组动物的数量，按照数量找到车厢上对应的数字。

小动物们分成三组去旅游，车厢上的数字代表乘客的数量。怎样坐才能让同一组的小动物们坐在一起呢？你来连一连吧。

长短和大小比较

去广场玩

可以在幼儿作出选择时提问为什么这么选，或者让幼儿比较长短或大小。

星期天，妈妈和宝宝去广场玩。请你用红色笔沿着宝宝的衣物画出去广场的路线，用蓝色笔沿着妈妈的衣物画出另一条路线。

我来分餐具

匹配训练

让幼儿首先从形状上区分筷子和汤匙，继而对它们进行大小或长短的区分。

妈妈做好了香喷喷的晚饭，宝宝来放餐具。妈妈应该用哪双筷子呢？宝宝用哪双筷子呢？汤匙应该怎么分呢？你来贴上相应的sticker吧。

36

石头小路

两种石头循环排列的规律比较简单，三种以上的就难些，由浅入深训练幼儿的排序和规律分析能力。

好漂亮的石头小路啊。这些石头排列都有一定的规律，你来找一找，它们是按什么规律排列的呢？请在空缺处贴上合适的石头sticker吧。

我来当售货员

家长可以引导幼儿在根据一维特征分类基础上再根据二维特征判断出事物。

妈妈有事出门了，萌萌来当售货员。请帮萌萌把顾客要的东西找到，用笔圈出来吧。

去郊游

比较数量的多少

幼儿虽然没有学习3以上的数字，但家长可以引导他们
用连线的方法看一看哪边有剩余。

老师带领小朋友们去郊游，一个男生要和一个女生手牵手。请你连一连，
然后比较一下，是男生多还是女生多？

比较数量的多少

森林音乐会

在幼儿完成连线后，可以引导幼儿说出"乐器多出来一个"，巩固其关于多少的概念。

森林里要举行音乐会，每个动物需要一种乐器。请你连一连，看看乐器够不够。

魔术师的房间

指导幼儿在观察时，心中先默记已经找到的物品数量，或者先将找到的物品圈出来，再进行数数。

在魔术师的房间找到 🐦、🪄、🎩，数一数它们的数量，并分别涂出相等数量的 ○。

小猫钓鱼

画线是学写数字的基础，幼儿在画线的同时也可以锻炼手指的灵活性。

小猫一家带着小桶去钓鱼。描一描小猫到小桶的虚线，看看小桶够不够一只猫一个。哇，鱼儿来了，你来沿着小猫尾巴上的虚线画一画，让小猫一家都能钓上鱼吧。

几株水草

画曲线练习

　　鼓励幼儿要一笔完成一条曲线，画得偏离虚线也没关系，为书写数字打基础。

　　大海的表面，波浪起伏，海底水草轻轻摆动。沿着虚线画一画海浪和水草。数一数有几株水草。

真厉害！

宝宝在睡觉

1是太阳只一个，1是伸出食指来，1是1个宝宝在睡觉，1像铅笔细又直……鼓励幼儿发挥想象力，形象记忆数字"1"。

请你找一找图中数量是"1"的事物，大声读出数字"1"，并沿着虚线写出数字"1"。

大荷叶

2是手套成双对，2是食指和中指……鼓励幼儿发挥想象力的同时，让其理解2比1多1，2排在1后面。

请你找一找图中数量是"2"的物品，大声读出数字"2"，并沿着虚线写出数字"2"。

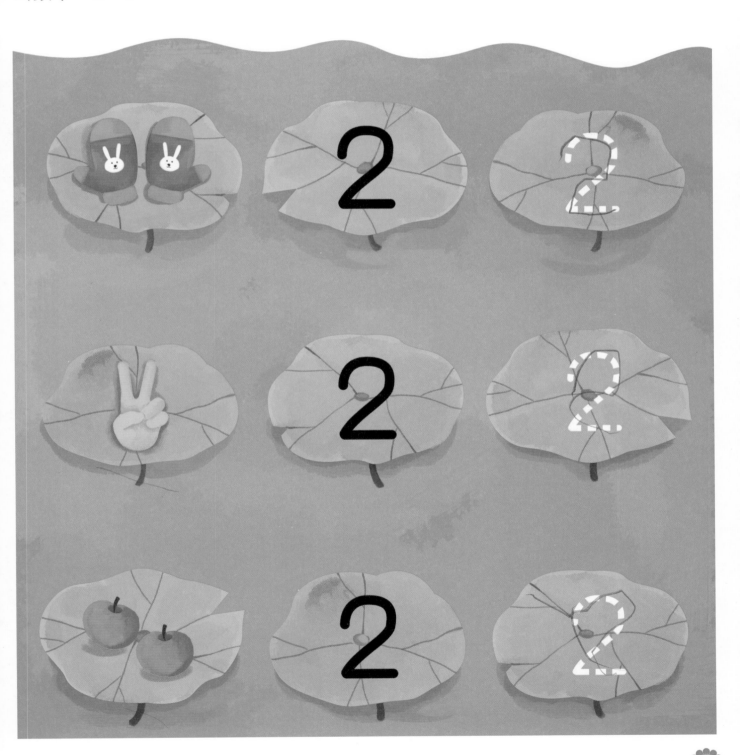

格子图

3是小车3个轮，3是小猫有3只……帮助幼儿形象记忆数字3，3比2多1，3排在2后面。

请你找一找图中数量是"3"的事物，大声读出数字"3"，并沿着虚线写出数字"3"。